在纪念陈云同志诞辰110周年座谈会上的讲话

（2015年6月12日）

习　近　平

人　民　出　版　社

在纪念陈云同志诞辰110周年座谈会上的讲话

（2015年6月12日）

习　近　平

同志们，朋友们：

今天，我们怀着十分崇敬的心情在这里隆重集会，纪念陈云同志诞辰110周年，缅怀他为党、为国家、为人民建立的不朽功勋，追思他为党和人民事业不懈奋斗的光辉一生，激励全党全国各族人民继承和发扬老一辈革命家的崇高风范，坚定不移把中国特色社会主义事业推向前进。

陈云同志是伟大的无产阶级革命家、政治家，杰出的马克思主义者，是中国社会主义经济建设的开创者和奠基人之一，党和国家久经考验的卓越领导人，是以毛泽东同志为核心的党的第一代中央领导集体和以邓小平同志为核心的党的第二代中央领导集体的重要成员，为党和人民事业发展作出了重大贡献。

陈云同志1925年加入中国共产党，从此就把毕生精力献给了党领导的伟大事业。陈云同志的一生，经历了我国革命、建设、改革各个历史时期，是伟大、光荣的一生。

新民主主义革命时期，陈云同志为民族独立和人民解放顽强奋斗，是中华人民共和国的开国元勋。他在大革命的洪流中投身工人运动，在实际斗争中成长为工人运动领导人。他参加了艰苦卓绝的红军长征。在遵义会议上，他坚定支持毛泽东同志的正确主张，支持会议确立以毛泽东同志为代表的正确领导。抗日战争期间，陈云同志担任了7年中共中央组织部部长，领导制定了“了解人、气量大、用得好、爱护人”的十二字干部政策，提出选拔任用干部要坚持德才兼备的原则。解放战争期间，陈云同志参加领导东北解放。辽沈战役胜利后，他领导接收沈阳，创造了接管大城市的经验，并领导东北根据地率先开始恢复经济，支援了全国解放战争，为我们党提供了由战争转向和平建设的宝贵经验。

在社会主义革命和建设时期，陈云同志为确立社会主义基本经济制度、建立独立的比较完整的工业体系和国民经济体系做了大量卓有成效的工作，为探索我国社会主义建设道路作出了杰出贡献。新中国成立初期，陈云同志受命主持领导全国财政经济工作，只用不到一年时间，就迅速实现了全国财政经济的统一，稳定了金融物价。他主持了第一个五年计划编制和执行，既注意学习苏联经验，又坚持从我国国情出发科学布局，为我国社会主义工业化积累了经验。在大规模经济建设时期，陈云同志积极探索社会主义经济规律，创造性地提出建设规模要同国力相适应、在社会主义经济中要有市场调节为补充等重要思想。他较早发现"大跃进"带来的问题，积极建言，尽量减轻损失。上世纪 60 年代初期，在毛泽东同志支持下，他参与部署和领导调整国民经济，恢复农业生产，为国民经济和人民生活走出困境发挥了重要作用。

在改革开放和社会主义现代化建设新时期，陈云同志为我们党开创中国特色社会主义道路作出了卓越贡献。1978年底，在党的十一届三中全会之前的中央工作会议上，陈云同志以马克思主义的勇气和胆识提出，要把党和国家工作重点转移到社会主义建设上来，必须解决好历史遗留的若干重大问题。他的发言受到与会同志积极响应，为突破“两个凡是”的思想禁锢、实现伟大的历史转折起到了重要作用。

党的十一届三中全会后，陈云同志积极支持邓小平同志倡导的改革开放，支持和推动农村和城市改革，支持从沿海到内地不断扩大对外开放。他提出，在社会主义经济中要有意识地发挥和扩大市场调节作用，支持探索符合实际、充满活力的社会主义经济新体制。他提出改革要不断总结经验，脚踏实地向前推进。他高度重视改革开放条件下党的思想建设、制度建设和社会主义精神文明建设，主持制定了《关于党内政治生活的若干准则》，提出“执政党的党风问题是有关党的生死存亡的问题”的著名论断。他倡导干部队伍新老合作和交替，提出要按照革命化、年轻化、知识化、专业化的标准，培养德才兼备的青年干部队伍。他支持邓小平同志关于科学确立毛泽东同志的历史地位、坚持和发展毛泽东思想的主张。在中国特色社会主义发展进程的每一个重大历史关头,陈云同志坚定维护邓小平同志在中央领导集体中的核心地位,维护党中央权威,同党和人民同心同德。

在长达70年的革命生涯中,陈云同志为新中国的建立、为社会主义基本经济制度和政治制度的确立、为改革开放和社会主义现代化建设建立的功勋,党和人民将永远铭记。

同志们、朋友们!

在20世纪中国苦难而辉煌的历史进程中,涌现出一大批用特殊材料制成的优秀共产党人。陈云同志身上表现出来的坚定理想信念、坚强党性原则、求真务实作风、朴素公仆情怀、勤奋学习精神,永远值得我们学习。

——我们纪念陈云同志,就要学习他坚守信仰的精神。无论处于顺境还是逆境,陈云同志始终坚守对马克思主义、共产主义的信仰不动摇。陈云同志入党时就认识到:"此身已非昔比,今后不是做'成家立业'的一套,而要专干革命。"他对自己选定的共产主义信仰笃信终生。他说:“一个愿意献身共产主义事业的共产党员,不仅应该为党在各个时期的具体任务而奋斗,而且应该确定自己为共产主义的实现而奋斗到底的革命的人生观。”要“终其一生,为他的信仰的实现而奋斗到底”。他在解释什么叫做“奋斗到底”时说,就是奋斗到死。

在改革开放历史新时期,陈云同志高度重视对党员干部的理想信念教育。他反对“共产主义遥遥无期”的观点,明确指出,这个观点是不对的,应当说,共产主义遥遥有期,社会主义就是共产主义的第一阶段。他强调:“社会主义经济建设和经济体制改革,更加要有为共产主义事业献身的精神。”“马克思主义、共产主义的真理,一定会战胜资本主义腐朽思想和作风的侵蚀。”

对马克思主义、共产主义的信仰,对社会主义的信念,是共产党人精神上的“钙”。没有理想信念,理想信念不坚定,精神上就会得“软骨病”,就会在风雨面前东摇西摆。全党同志一定要坚守共产党人精神家园,把改造客观世界和改造主观世界结合起来,切实解决好世界观、人生观、价值观问题,练就共产党人的钢筋铁骨，铸牢坚守信仰的铜墙铁壁，矢志不渝为中国特色社会主义共同理想而奋斗。

——我们纪念陈云同志，就要学习他党性坚强的精神。在延安时期，陈云同志就把“革命的利益高于一切”、“遵守党的纪律，严守党的秘密”、“百折不挠地执行决议”作为共产党员的重要标准。他说：“严格地遵守党的纪律为所有党员及各级党部之最高责任。”

党的十一届三中全会后，陈云同志担任了9年中央纪委第一书记。他按照从严治党的要求，努力探索改革开放新形势下加强党员党性修养的有效途径。他指出：“要严格把好政治标准这一关。”“党性原则和党的纪律不存在‘松绑’的问题。”“要提倡坚持原则，提倡是就是是、非就是非的精神。”

“加强纪律性，革命无不胜。”今天，在全面从严治党的新形势下，全党同志一定要不断锤炼党性，不断加强纪律建设，坚定维护党的团结统一，坚决维护党中央权威，确保全党统一意志、统一行动、步调一致前进。

——我们纪念陈云同志，就要学习他一心为民的精神。党同人民群众的关系,是陈云同志始终高度重视的问题。他说:“当权的党容易只是向群众要东西,而忘记也要给群众很多的东西。如果真是那样,群众就会把我们看成强迫摊派的命令机关。所以,我们不应该只知道向群众要东西,更应该时刻注意为群众谋福利。”“党脱离了群众,就成了光杆子的党,这样的党也是不能存在的。”

陈云同志认为,经济工作应该“首先考虑民生”。他说:“如果我们不能解决人民的吃饭穿衣问题,我们的社会主义建设事业便站不稳。”他坚持“经济建设和人民生活必须兼顾,必须平衡”的原则,强调“一要吃饭,二要建设”,“无农不稳”、“无粮则乱”。

陈云同志把自己看成一名普通党员。他说:“我们是党员,在党的领导下,适合老百姓的要求,做了一点事,如此而已,一点不能骄傲。”陈云同志严于律己、清正廉洁,一贯反对特权,反对腐败,对同志公正公平。陈云同志常说:“个人名利淡如水,党的事业重如山。”

我们的事业崇高而神圣,我们的使命艰巨而光荣。今天,面对艰巨繁重的全面深化改革新形势,全党同志一定要坚持同人民在一起,坚持以百姓心为心,努力解民忧、办实事,为推动党和国家事业发展汇聚强大力量。

——我们纪念陈云同志,就要学习他实事求是的精神。对实事求是,陈云同志践行了一生。陈云同志说:“实事求是,这不是一个普通的作风问题,这是马克思主义唯物主义的根本思想路线问题。”

延安时期,在同毛泽东同志反复探讨怎样才能少犯错误这个话题之后,陈云同志提炼出“不唯上、不唯书、只唯实,交换、比较、反复”这样一个带有鲜明特点的“十五字诀”。他总结说:“这十五个字,前九个字是唯物论,后六个字是辩证法,总起来就是唯物辩证法。”

依靠调查研究作决策,是陈云同志坚持实事求是的思想方法和工作方法。每逢重大决策之前,陈云同志总要做大量调查研究,听取多方面意见。他脚踏实地,反对虚夸浮躁、急功近利。他常说:“领导机关制定政策,要用百分之九十以上的时间作调查研究工作,最后讨论作决定用不到百分之十的时间就够了。”

实践反复证明，能不能做到实事求是，是党和国家各项工作成败的关键。全党同志一定要把实事求是贯穿到各项工作中去，经常、广泛、深入开展调查研究，努力把真实情况掌握得更多一些、把客观规律认识得更透一些，为协调推进“四个全面”战略布局打下扎实的工作基础。

——我们纪念陈云同志，就要学习他刻苦学习的精神。陈云同志出身贫寒，只读过小学，但他靠在长期实践中坚持不懈的刻苦学习，具备了很高的思想理论水平和解决问题能力。他强调“学习是共产党员的责任”，“一天到晚工作而不读书，不把工作和学习联系起来，工作的意义就不完整，工作也不能得到不断改进”。

陈云同志一直倡导党员干部要学习哲学，认为学哲学是共产党员树立正确的思想方法、工作方法和少犯错误的关键。他说：“要把我们的党和国家领导好，最要紧的，是要使领导干部的思想方法搞对头，这就要学习马克思主义哲学。”“学习哲学，可以使人开窍。学好哲学，终身受用”。

在陈云同志身上，学习和创新是紧密相连的。改革开放以后，陈云同志不断提醒要解决好创新问题，他说："现在我们国家的经济建设规模比过去要大得多、复杂得多，过去行之有效的一些做法，在当前改革开放的新形势下很多已经不再适用。这就需要我们努力学习新的东西，不断探索和解决新的问题。"

党的十八大提出了建设学习型、服务型、创新型的马克思主义执政党的重大任务。学习是前提，学习好才能服务好，学习好才有可能进行创新。全党同志一定要把学习作为一种政治责任、一种精神追求、一种生活方式，不断接受马克思主义哲学智慧的滋养，自觉坚持和运用辩证唯物主义世界观和方法论，广泛学习各方面知识，做到学以益智、学以励志、学以立德、学以修身。

同志们、朋友们！

陈云同志离开我们已经20年了。他曾经说过："把中国经济搞上去是大有希望的，社会主义中国是大有前途的！"20年来，经过全党全国各族人民持续团结奋斗，我国改革开放和社会主义现代化建设不断取得新的伟大成就，中华民族伟大复兴展现出前所未有的光明前景。

伟大的事业呼唤着我们，庄严的使命激励着我们。我们一定要坚定不移把老一辈革命家开创的伟大事业继续推向前进。这是我们的历史责任，也是对老一辈革命家的最好纪念。

图书在版编目(CIP)数据

在纪念陈云同志诞辰110周年座谈会上的讲话/
习近平. —北京:人民出版社,2015.6
ISBN 978-7-01-015002-4

Ⅰ.①在… Ⅱ.①习… Ⅲ.①习近平-讲话②陈云(1905~1995)-
生平事迹-学习参考资料 Ⅳ.①D2-0②K827=7

中国版本图书馆CIP数据核字(2015)第127139号

(RMC-ZJDXI-021-20150612)

在纪念陈云同志诞辰110周年座谈会上的讲话
ZAI JINIAN CHENYUN TONGZHI DANCHEN 110 ZHOUNIAN
ZUOTANHUI SHANG DE JIANGHUA

(2015年6月12日)

习 近 平

人民出版社 出版发行
(100706 北京市东城区隆福寺街99号)

北京新华印刷有限公司印刷 新华书店经销

2015年6月第1版 2015年6月北京第1次印刷
开本:880毫米×1230毫米 1/32 印张:0.5
字数:7千字 印数:00,001-10,000册

ISBN 978-7-01-015002-4 定价:2.00元

邮购地址 100706 北京市东城区隆福寺街99号
人民东方图书销售中心 电话 (010)65250042 65289539